O CAVALEIRO DO CAVALO BRANCO

- VOLUME 6 -

Professora Rute Mendonça
Pregadora Ecumênica da Religião de
Deus, do Cristo e do Espírito Santo

William Luz
Coordenação e desenhos

Texto inspirado nas explicações do Irmão Paiva Netto sobre o Apocalipse do Divino Mestre pela Super Rede Boa Vontade de Comunicação.

Soldadinhos de Deus LBV
Boa Vontade KIDS

São Paulo/SP — Brasil — 2025
Editora Elevação

Autora: Rute Mendonça
Coordenação e desenhos: William Luz
Produção editorial, desenhos e revisão: Equipe Soldadinhos de Deus
Impressão: Mundial Gráfica

Depósito legal na Biblioteca Nacional conforme
Decreto nº 1.825, de 20 de dezembro de 1907.

Dados Internacionais de Catalogação na Publicação (CIP)

M539c

Mendonça, Rute

O Cavaleiro do cavalo branco — 1ª ed. — São Paulo : Editora Elevação, 2025, v.6. (Coleção Ecumênica O Apocalipse de Jesus para as crianças).Ilustração William Luz. 32. p. : 24 x 24 cm.

ISBN 978-65-85860-12-3

1. **Quarta Revelação**. 2. Jesus Cristo. 3. Espiritualidade. 4. Apocalipse de Jesus. 5. Evangelho de Jesus. 6. Paiva Netto, José de. I. Luz, William. II. Título

CDD-228.07

Índice para catálogo sistemático:
1. Apocalipse : Comentários 228.07

Rua Doraci, 2-A, sala 103 – Bom Retiro
São Paulo/SP – CEP 01134-050

ELEVAÇÃO

www.elevacao.com.br

Vamos ler com os nossos pais o

Tratado do Novo Mandamento de Jesus,

reunido por Paiva Netto, consoante o Evangelho do Cristo de Deus, segundo João, 13:34 e 35; e 15:7, 8, 10 a 17 e 9.

Ensinou Jesus, o Cristo Ecumênico, o Divino Estadista*: "13:34 *Novo Mandamento vos dou: amai-vos como Eu vos amei.* 13:35 *Somente assim podereis ser reconhecidos como meus discípulos, se tiverdes o mesmo Amor uns pelos outros.*

15:7 *Se permanecerdes em mim e as minhas palavras em vós permanecerem, pedi o que quiserdes, e vos será concedido.* 15:8 *A glória de meu Pai está em que deis muito fruto; e assim sereis meus discípulos.*

15:10 *Se guardardes os meus mandamentos, permanecereis no meu Amor; assim como tenho guardado os mandamentos de meu Pai e permaneço no Seu Amor.*

15:11 *Tenho-vos dito estas coisas a fim de que a minha alegria esteja em vós e a vossa alegria seja completa.*

15:12 *O meu Mandamento é este: que vos ameis como Eu vos tenho amado.* 15:13 *Não há maior Amor do que doar a própria vida pelos seus*

amigos. 15:14 *E vós sereis meus amigos se fizerdes o que Eu vos mando.* 15:17 *E Eu vos mando isto: amai-vos como Eu vos amei.*

15:15 *Já não mais vos chamo servos, porque o servo não sabe o que faz o seu senhor; mas tenho-vos chamado amigos, porque tudo quanto aprendi com meu Pai vos tenho dado a conhecer.*

15:16 *Não fostes vós que me escolhestes; pelo contrário, fui Eu que vos escolhi e vos designei para que vades e deis bons frutos, de modo que o vosso fruto permaneça, a fim de que tudo quanto pedirdes ao Pai em meu nome Ele vos conceda.*

15:17 *E isto Eu vos mando: que vos ameis como Eu vos tenho amado.* 15:9 *Porquanto, da mesma forma como o Pai me ama, Eu também vos amo. Permanecei no meu Amor".*

* **Jesus, o Cristo Ecumênico, o Divino Estadista** — Leia sobre o assunto na página 32.

Jesus
Ilustração que representa Jesus, o Cristo Ecumênico, o Divino Estadista.

Vovó Lola
Gosta de contar histórias e aproveitar o tempo com seus netos. Ela é muito paciente e extremamente bondosa.

Vítor — 12 anos
Gosta de ler e estudar assuntos diversos, além de querer sempre aprender.

Luizinha — 8 anos
É muito alegre, divertida e sorridente. Seu lazer preferido é brincar.

João Evangelista
Ilustração que retrata João, o Evangelista e Profeta, Discípulo de Jesus.

Sarita — 9 anos
Curiosa e inteligente, ela adora conhecer novos lugares e faz amigos por onde passa.

Juju — 10 anos
Cheia de energia, gosta mesmo é de explorar e aprender novas coisas e também passar tempo com os amigos.

Yuri — 9 anos
Extrovertido, ama conversar e fazer novos amigos. Ele é muito alto-astral.

Pai-Nosso[1]

(**A Oração Ecumênica**[2] **de Jesus** que se encontra no Seu Evangelho, segundo Mateus, 6:9 a 13.)

Pai Nosso, que estais no Céu *{e em toda parte ao mesmo tempo}*, santificado seja o Vosso Nome.

Venha a nós o Vosso Reino *{de Justiça e de Verdade}*.

Seja feita a Vossa Vontade *{jamais a nossa vontade}*, assim na Terra como no Céu.

O pão nosso de cada dia dai-nos hoje *{o pão transubstancial*[3]*, a comida que não perece*[4]*, o alimento para o Espírito}*.

Perdoai as nossas ofensas, assim como nós perdoarmos aos nossos ofensores.

Não nos deixeis cair em tentação, mas livrai-nos do mal, porque Vosso é o Reino, e o Poder, e a Glória para sempre.

Amém!

[1] ***Pai-Nosso*** — Na belíssima forma com que o Irmão Paiva faz quando ora. Ele nos ensina que qualquer pessoa pode fazer a prece do *Pai-Nosso,* pois Jesus, o Supremo Governante do planeta Terra, deixou-nos essa sagrada oração para que todos nós tenhamos a oportunidade de falar diretamente com Deus. Ela é, portanto, uma oração universal. Ele explica também que se trata da *"Prece Ecumênica por excelência".*

[2] **Ecumênica** — Universal; referente a todo o Universo e a todos os seres.

[3] **Transubstancial** — Que se transforma em outra substância. Neste caso, no alimento indispensável para a nossa Alma.

[4] **Não perece** — Não estraga.

O SIGNIFICADO DOS SELOS

As crianças estão felizes, curtindo os últimos dias de férias, quando a vovó chega à sala e, não perdendo a oportunidade, numa empolgação contagiante, vai até uma estante, pega a Bíblia Sagrada, abre no capítulo sexto do Apocalipse de Jesus e convida seus netinhos a continuar ouvindo a história verdadeira.

"Vi quando o Cordeiro de Deus abriu um dos Sete Selos e ouvi um dos quatro seres viventes dizendo, como se fosse uma voz de trovão: Vem e vê! E olhei, e eis um cavalo branco e o seu cavaleiro com um arco, e lhe foi dada uma coroa; e Ele saiu vencendo e para vencer."

O texto que a vovó lê parece ter um poder mágico, e as crianças ouvem aquela narrativa encantadas.

— Dona Lola, meu coração está batendo forte!

— Nosso coração bate mais rápido mesmo, Yuri, porque o Cavaleiro do Cavalo Branco é Jesus, que tendo um arco na mão mostra o Seu Poder e sai vencendo e para vencer!

— Mas, calma aí, vovó, João estava no Céu e, de repente, ouve uma voz forte como de trovão... Será que ele não ficou assustado?

— Acho que não, Luizinha, porque ele estava perto de Deus.

— Ah, pode até ser, Juju, mas o Cavaleiro sentado no cavalo branco estava com um arco na mão. Eu acho que ele estava indo lutar contra alguém — diz Vítor, tentando entender.

— Crianças, a batalha de Jesus não é contra as pessoas, mas, sim, contra o mal que pode existir dentro de cada um de nós. Ele deseja transformar e iluminar nossos corações!

— Por isso que Ele é um Vencedor e recebeu de Deus a Autoridade para abrir os selos que estavam no livro — relembra Vítor.

— Sim, meus queridos! E aquele livro estava selado com quantos selos mesmo?

— Sete! — Todos respondem, numa só voz.

— Certo! É importante destacar que os selos revelam nossos sentimentos, o nosso íntimo, quer dizer o que cada um tem dentro do coração.

Nesse momento, dona Lola busca uma caixinha para ilustrar sua explicação. A caixa estava fechada com um adesivo, como se fosse um selo, para que ninguém pudesse ver o que tinha dentro.

— Muitas vezes, estamos como que fechados, igual a essa caixa, para o entendimento das Leis de Deus e não conseguimos entender o que Ele espera de nós.

— Vovó, às vezes minha professora fala na aula que nós estamos distraídos e não vamos conseguir entender o que ela está ensinando — lembra Sarita.

— A minha professora também diz isso — concorda Juju. — E ela fala que, se não prestarmos atenção, na hora da prova, não saberemos resolver as questões, porque nosso pensamento está como que fechado para o que ela está ensinando.

— Nosso pensamento fica longe... — reflete Sarita.

— Gostei do comentário de vocês, crianças! Assim, fica mais fácil de entenderem que os selos guardam o que está na nossa intimidade. Cada selo que Jesus abriu revelou como estava e ainda pode estar o nosso sentimento e, consequentemente, o nosso comportamento.

— E Jesus espera que a gente melhore, não é, vovó? — diz Juju.

— E acho que faz tempo que Ele está esperando isso...

— Verdade, Luizinha, mas Jesus é perseverante e nos pede para sermos também! Vamos prosseguir na história? Quando é aberto o primeiro selo, João vê o Cristo de Deus montado num cavalo branco, com um arco na mão, recebendo uma coroa e saindo vencendo e para vencer!

— Vovó, esse cavalo representa a Paz, não é?

— Sim, Vítor! E quando Jesus sai com o Seu Cavalo Branco, vencendo e para vencer, é para nos mostrar que, mesmo que enfrentemos dificuldades no nosso dia a dia, se nos amarmos e respeitarmos do jeito que Ele nos ensinou, seremos capazes de vencer todos os desafios da vida com força e coragem.

— E seremos vencedores também! — conclui Vítor, seguido de um grande brado de todos:

— Ehhhh! Nós somos vencedores!

— É como o Irmão Paiva nos diz a todo instante, meus netinhos: *"Com Jesus, venceremos sempre, sempre e sempre!"*

— Vovó, eu queria que estas férias não terminassem nunca!

— Eu também, Sarita! Como esta é uma história looongaaa e verdadeira, só nestas férias não vai dar para aprendermos tudo! — conclui Luizinha.

— Não se preocupem, meus queridos, tudo tem seu tempo. Mas agora nós vamos almoçar e, em seguida, faremos um passeio até o Museu de Artes aqui da cidade, onde vem acontecendo uma exposição que tem tudo a ver com nossa história. Vocês vão ver muita coisa interessante.

ATIVIDADE

Que tal você aproveitar essa pausa para separar uma caixa e colocar dentro dela uma mensagem sobre o que está sentindo neste momento? Pode ser em formato de desenho ou texto, e guarde bem até o final deste livro. Depois, contaremos como você vai terminar essa atividade.

VALE A PENA CONHECER

Chegando ao museu, logo na entrada, as crianças já ficam encantadas com uma linda obra de arte representando João Evangelista anotando tudo o que via e ouvia.

— Olha, esta é a parte que a senhora contou pra gente, vovó — destaca Sarita, toda entusiasmada!

— É mesmo! — concorda Juju, lendo o título que aparecia no alto da obra de arte: *João Evangelista em Patmos**.

— Nossa, dona Lola, eu nem conhecia este museu! Vou convidar meus pais para a gente vir aqui um dia.

— Faça isto, Yuri, com certeza, eles vão gostar!

* Tela de Pedro de Orrente (1580-1645).

Já na primeira sala do museu, as crianças se deparam com impressionantes obras artísticas retratando os quatro Cavaleiros do Apocalipse.

— Bem, crianças, já sabemos que, quando foi aberto o primeiro selo, João Evangelista viu um cavalo branco...

— Sim, vovó! E o seu cavaleiro era Jesus trazendo a Paz para todos nós — recorda Vítor.

— E estes outros cavalos aqui fazem parte da história?

— Isto mesmo, Sarita. Quando foi aberto o segundo selo, João ouviu o segundo ser vivente dizendo: *"Vem e vê!"* Quando olhou, viu um cavalo vermelho, e o seu cavaleiro recebeu uma grande espada para que tirasse a Paz da Terra.

— O cavalo branco trouxe a Paz, e este vermelho veio para tirar a Paz?

— Pois é, Juju, o que conforta o nosso coração é saber que no primeiro selo revelado está Jesus, no Cavalo Branco, sempre à frente! O cavalo vermelho representa a guerra, a violência. E, quando falamos de guerra, não é somente a de armas e bombas, mas tudo aquilo que faz com que as pessoas se machuquem, por exemplo, palavras desagradáveis, que ferem os corações com a falta de Amor e Respeito.

— Que triste, vovó! Não foi assim que Jesus ensinou — comenta Yuri, chateado.

— E, no mundo todo, ainda se vê muita guerra acontecendo — reflete Vítor.

— Sim, crianças, porque as pessoas ainda estão afastadas das Lições do Grande Professor Jesus e acabam indo contra os Seus ensinamentos!

— E este, dona Lola? — pergunta Yuri se aproximando da representação do cavalo preto.

— Bem, João ouviu a voz do terceiro ser vivente dizendo: *"Vem e vê!"*

— E ele viu um cavalo preto?

— Sim, Sarita! Ele viu um cavalo preto, e o seu cavaleiro estava com uma balança na mão.

— Balança? Como assim, vovó? — questiona Sarita, lembrando da balança que ela vê no mercado.

— É o que você está pensando mesmo, Sarita: uma balança para que fosse controlada a alimentação, dando a cada um apenas o que conseguisse comprar.

— Muita gente não tem como comprar comida e acaba passando fome.

— Sim, Luizinha, e é justamente isso que representa o cavalo preto, a fome. Mas aqui tem uma lição muito importante que vocês precisam saber.

— Acho que eu sei: a gente não deve desperdiçar comida. Só colocar no prato a quantidade que consegue comer.

— Isto também, Yuri, com certeza! Agora, vocês sabem o que é fazer Caridade?

CARIDADE COMPLETA

— Fazer Caridade é ajudar as pessoas que não têm roupas, calçados...

— E dar comida também, Sarita. Outro dia, a mamãe entregou uma cesta de alimentos para a LBV, que ia distribuir para os que precisam de ajuda.

— É verdade, Juju. A Legião da Boa Vontade e outras instituições fazem esse atendimento. Mas a LBV fala de Caridade Completa.

— Acho que é para dar coisas como arroz e feijão, pão e manteiga, e até ovos — diz Luizinha, tentando explicar. — Tudo para a gente ter uma comidinha bem saborosa na mesa!

— Mas a senhora estava falando do cavalo preto e do cavaleiro com uma balança na mão...

— Pois é, Juju! A fome, controlada por uma balança na mão do cavaleiro do cavalo preto, significa também a fome dos ensinamentos de Deus.

— Como assim? — quis saber Juju.

— Acho que eu entendi — Sarita se apressa em explicar. — É quando uma pessoa não vive o Amor, a Bondade, o Respeito, o Perdão...

— A Boa Vontade... — completa Vítor!

— Isso, mesmo! Quando uma pessoa deixa de praticar o Bem em sua vida, ela sente um vazio no coração. E isso só acontece porque ela está afastada do que alimenta o seu Espírito, aquilo que traz Paz, felicidade. Ela está distante, ou seja, com fome dos ensinamentos de Deus.

— E como a gente pode ajudar?

— Aí é que entra, Sarita, a Caridade Completa.

— Como assim? Agora que não entendi mesmo! — Juju fica pensativa.

— Quando oferecemos alimentos, roupas, calçados, cobertas para quem está precisando, devemos também fazer uma prece para confortar o coração dessa pessoa, esclarecendo que tudo está sob o controle de Deus e de Jesus e que nós nunca estamos sozinhos!

— Falar de Deus e de Jesus para as pessoas... E elas vão ficar felizes!

— Sim, Sarita! Elas vão receber o alimento material para sobreviverem e também o alimento espiritual, que é o conforto de saberem que temos Deus por nós. Por isso chamamos de Caridade Completa!

— E esse cavalo amarelo, vovó?

— Bem, Yuri, quando o Cordeiro de Deus, que é Jesus, abriu o quarto selo, João ouviu a voz do quarto ser vivente dizendo bem forte...

— *"Vem e vê!"* — as crianças repetem juntas.

— Exatamente! E, desta vez, João viu um cavalo amarelo.

— E o que ele significa, vovó? — quis saber Vítor.

— Representa a morte!

— A morte? — estranhou Luizinha.

— Sim, em consequência de grande confusão, guerras, fome... E Jesus chama nossa atenção para a realidade de que nada está perdido. Ele está e sempre estará ao nosso lado!

— Acho que é por todos brigarem, não se amarem, desperdiçarem comida...

— Também acho, Sarita. Muitos vão morrer! Mas como vai ficar esta história que a senhora já falou que é verdadeira? — pergunta Juju.

— Não podemos nos esquecer de que o Cavaleiro do cavalo branco, que é Jesus, está atento e nos mostra que para tudo tem uma solução chamada Amor!

— É mesmo! Se todos aprenderem a se amar e respeitar, o mundo será muito melhor.

— É isso aí, Sarita! Hoje em dia, existem pessoas que já entendem que, quando todos se ajudam e os países compartilham seu modo de vida na economia para a sobrevivência dos povos, sendo solidários, nada faltará para ninguém!

— Que bom, vovó! Ainda bem que Jesus nos ensina a Solidariedade! — afirma Yuri.

— Outro dia, na escola, eu compartilhei meu lanche com uma coleguinha! — revela Luizinha toda feliz.

— Parabéns, querida! Nunca perca a oportunidade de um gesto de amizade e Solidariedade! Mas, agora, quero saber: quem aqui gosta de fazer trabalhos de artes com massinha de modelar? — pergunta, já tirando da bolsa uma sacolinha na qual guardava, de surpresa, massinhas coloridas, para que cada criança fizesse a representação que quisesse sobre o que aprenderam neste dia.

A reação delas já era esperada por dona Lola, que as guiou até uma área do museu especialmente dedicada a atividades infantis. Lá, elas se sentaram em cadeiras ao redor de uma mesa redonda, já preparada para brincadeiras com massinha.

— Oba!!! Hoje está um dia muito feliz, não é, Luizinha?

— Muuuito, Sarita! Estamos passeando e ainda vamos brincar com massinha!

— E também conhecemos um museu muito bonito aqui em Montanhópolis! — lembra Yuri.

Nesta empolgação toda, as crianças se expressam de maneira surpreendente e fazem a representação dos cavalos.

ATIVIDADE

Com toda criatividade, faça você também a sua obra de arte!

O AMPARO CELESTE

— Continue a história, vovó, por favor! — pede Sarita — O livro estava selado com Sete Selos e já vimos até o quarto, e o quinto, como foi?

— Bem, quando Jesus abriu o quinto selo, João Evangelista viu a Alma daqueles que foram mortos por praticarem o Bem. Eles pediam a Deus justiça e vingança. Que esta situação de brigas acabasse logo.

— E o que aconteceu? Deus vingou-se? — quer saber Juju.

— Deus não se vinga de ninguém, meus queridos. Quando lemos essas palavras fortes, devemos entender que se trata da Justiça Divina. Deus deseja que aqueles que cometeram o mal possam reconhecer seus erros, se arrepender e melhorar.

— Ah, entendi, vovó!

— Naquele momento, Juju, aqueles Espíritos do Bem receberam uma vestidura branca, representando as Boas Obras que praticaram. Foram Almas que se dedicaram muito a ajudar, a perdoar, a transformar para melhor a vida de muita gente. Por isso, foram perseguidos por aqueles que não entendiam, ainda, a importância do Amor Fraterno.

— E depois que receberam as roupas brancas tudo acabou bem?

— Sim, Juju. Todos entenderam que precisavam esperar mais um pouco até que outros se arrependessem e conquistassem essa mesma vestidura, inclusive muitos daqueles que fizeram mal a eles, porque a Justiça Divina é Solidária, não vingativa!

— E eles queriam que os outros morressem também?

— Aqui, Yuri, a morte significa o fim da injustiça, da inveja, da violência, da mentira... Tudo isso, sim, precisa morrer! Eu vou repetir para que vocês guardem em seus corações: a Justiça Divina é Solidária, não vingativa! Cada um vai ter a oportunidade de ser feliz, conforme procurar se corrigir, melhorar suas atitudes!

— Dona Lola, só faltam dois selos para Jesus abrir. O que aconteceu na abertura do Sexto Selo? — Yuri pergunta curioso.

— Meus queridos, vamos ver o que está representado naquele quadro perto da escada.

Nesse momento, a atenção de todos vai para um quadro no qual o artista retratou uma cena de terremotos, chuva de pedras, o sol sem brilho nenhum, a lua vermelha como fogo, estrelas caídas na Terra e pessoas escondidas em cavernas, demonstrando grande medo. E a vovó explica:

— Aqui vemos uma representação do que estamos vendo acontecer em nossos dias. Infelizmente, muitas pessoas estão enfrentando situações semelhantes ao que estamos vendo no quadro.

— Vovó, na hora da prece na Reunião no Lar, na nossa casa, meu pai sempre pede para Deus abençoar as pessoas que estão sofrendo com terremotos e inundações.

— Que bom, Vítor! Às vezes, o nosso coração fica tão agitado, igual ao que vemos neste quadro. E nem sempre as pessoas que estão ao nosso lado percebem o que está acontecendo dentro de nós.

— E a gente sente tristeza! — comenta Vítor.

— Por isso que a senhora explicou que, na abertura de cada selo, Jesus revela o que está dentro de cada um de nós — destaca Sarita.

— Eu quero só Paz no meu coração!

— Eu também, Luizinha! — concorda Sarita.

— Se todas as pessoas pensarem assim, a Paz vai iluminar o planeta Terra! — completa a vovó, já convidando os netinhos a fazerem uma prece, pedindo a Jesus, o Cavaleiro do cavalo branco, que ilumine a mente e o coração das pessoas que estão sofrendo neste momento. As crianças, neste instante, concentram-se, pensando em Jesus e nos seus Anjos da Guarda, e, com a vovó, fazem a prece de Jesus, o *Pai-Nosso*.

Após a oração vibrante, todos se dirigem para a saída do museu, e Yuri pergunta, preocupado:

— Como vamos mostrar para nossos pais nossas obras de arte e o nosso passeio de hoje?

A vovó, sem perder tempo, mostra para eles todas as fotos que tirou pelo seu celular.

— A mamãe vai ficar orgulhosa de nossa obra de arte! — comenta Sarita, feliz.

— Lembrando, meus queridos netos, que amanhã meu filho Vicente virá buscá-los, porque as férias estão acabando.

— E como fica o restante da história, vovó? A senhora nem falou sobre o Sétimo Selo.

— Nós teremos muitas oportunidades para continuar, Sarita! Quem sabe não podemos nos falar por videochamada ou até combinar uma viagem juntos! — a vovó se apressa em tranquilizá-los, deixando claro que essa história ainda tem muito ensinamento para revelar.

Neste momento, faça você também a prece do *Pai-Nosso*. Mas, antes, aproveite para pegar a caixa que havia guardado e abra-a, revelando a Jesus e aos que estiverem ao seu lado qual é a mensagem que está em seu coração.
A prece do *Pai-Nosso* se encontra na página 7.

O QUE APRENDEMOS HOJE:

* Os selos representam a nossa intimidade, os sentimentos que cada um traz no coração.

* Ao ser aberto o primeiro selo, João vê um cavalo branco e o seu Cavaleiro, Jesus, com um arco na mão, que saiu vencendo e para vencer.

* Ao serem abertos o segundo, o terceiro e o quarto selos, João vê a representação da guerra, da fome e da morte.

* A batalha de Jesus não é contra as pessoas, mas contra as maldades humanas.

* A Justiça Divina é solidária, não vingativa.

* A Caridade Completa é a que nos alimenta material e espiritualmente.

CADERNO DE ATIVIDADES

QUAL CAVALEIRO SAIU VENCENDO E PARA VENCER?

1

2

3

4

QUAL É A SOMBRA DO CACHORRINHO?

DESCUBRA OS 7 ERROS

Respostas na página 31

VAMOS COLORIR?

AJUDE A VOVÓ A BUSCAR A CAIXINHA COM O SELO

RESPOSTAS

Respostas da página 29:

Qual cavaleiro saiu vencendo e para vencer?
Resposta: 2.

Qual é a sombra do cachorrinho?
Resposta: 3.

Descubra os 7 erros

Resposta da página 31:

Ajude a vovó a buscar a caixinha com o selo

Jesus, o Cristo Ecumênico, o Divino Estadista

Aos pais, responsáveis e educadores, apresentamos este conceito criado pelo Presidente-Pregador da Religião de Deus, do Cristo e do Espírito Santo, José de Paiva Netto, durante histórica entrevista que concedeu, em 1989, ao produtor de documentários da TV polonesa, na época Vice-Presidente da Associação Universal de Esperanto, jornalista Roman Dobrzyński. Na ocasião, Roman, analisando a missão do Templo da Boa Vontade (TBV), o Templo do Ecumenismo Divino, que Paiva Netto inauguraria no dia 21 de outubro daquele ano, em Brasília/DF, Brasil, arguiu o dirigente da Religião do Amor Universal sobre como podia pregar o Ecumenismo Irrestrito falando em Jesus. Paiva Netto, então, discorreu acerca do tema, resumindo décadas de pregação dele a respeito de assunto tão fundamental da doutrina da Religião do Terceiro Milênio: *"Uma das grandes tarefas da Religião de Deus, do Cristo e do Espírito Santo, meu caro Roman, é dessectarizá-Lo, pois Jesus é o Cristo Ecumênico, portanto universal. (...) O Divino Mestre* ***não é limitado****. Ele é o Ideal Celeste de Humanidade, Amor, Solidariedade, Justiça e Compaixão para todos os seres espirituais e humanos.* ***Jesus é uma conquista diária para os que têm sede de Saber, de Misericórdia, de Fraternidade, de Generosidade, de Liberdade e Igualdade, segundo a Lei Universal da Reencarnação. Jesus, em Si mesmo, não constitui fator de rancores e guerras.*** *Pregou, com o Seu Novo Mandamento* — 'Amai-vos como Eu vos amei. Somente assim podereis ser reconhecidos como meus discípulos' *(Evangelho, segundo João, 13:34 e 35)* —*, o Amor elevado à enésima potência. O que as criaturas terrenas fizeram com a Sua Mensagem é criação reducionista delas (...). Revelar o excelso significado do Seu Evangelho e do Seu Apocalipse, sem odiosa intolerância, ou seja, em Espírito e Verdade, à luz do Seu Novo Mandamento de Amor Fraternal, é um destacado serviço que a Religião de Deus, do Cristo e do Espírito Santo está prestando à sociedade do mundo (...)".* Cabe destacar que Roman se tornou admirador e divulgador desse Ideal de Boa Vontade, constantemente encaminhando à Religião do Amor Universal histórias e experiências vivenciadas quando de suas palestras e aulas em diversos lugares do globo, entre estas as ministradas na Universidade de Pequim, na China.

Querido Soldadinho de Deus, estamos muito interessados em saber o que você achou desta história e o que aprendeu com ela. Peça para a mamãe, o papai ou o seu responsável para compartilhar suas ideias ou dúvidas sobre o Apocalipse conosco! Eles podem enviar esta página para a Rua Doraci, 90 — Bom Retiro — São Paulo/SP — CEP 01134-050. Ou, se for mais fácil, é só tirar uma foto e encaminhá-la para o nosso *e-mail:* editora@elevacao.com.br. Estamos aguardando sua participação!

Nome:
Idade:
Cidade:

Soldadinhos de Deus

LBV